kalou
le koala
memory

kalou
le koala
memory

kalou
le koala
memory

kalou
le koala
memory

kalou
le koala
memory

kalou
le koala
memory

kalou
le koala
memory

kalou
le koala
memory

kalou
le koala
memory

kalou
le koala
memory

kalou
le koala
memory

kalou
le koala
memory

kalou
le koala
memory

kalou
le koala
memory

kalou
le koala
memory

kalou
le koala
memory

kalou
le koala
memory

kalou
le koala
memory

kalou
le koala
memory

kalou
le koala
memory

kalou
le koala
memory

kalou
le koala
memory

kalou
le koala
memory

kalou
le koala
memory

kalou
le koala
memory

kalou
le koala
memory

kalou
le koala
memory

kalou
le koala
memory

kalou
le koala
memory

kalou
le koala
memory

kalou
le koala
memory

kalou
le koala
memory

Kalou le koala m'explique... les animaux

Anouchka Krygelmans

Vinci Sato

Éditions Hemma

Présentation

Bonjour ! Je suis Kalou, le koala. Aujourd'hui, je vais te parler des animaux. Il y a plein d'animaux très différents dans le monde... Je n'ai pas pu tous les réunir dans ce livre, car il y en a vraiment beaucoup, beaucoup, beaucoup.

Voici déjà tous mes animaux en jouet qui sont venus te souhaiter bonne lecture.

Dans la ville

On peut trouver beaucoup d'espèces d'animaux dans les villes. Certains vivent librement et trouvent à manger tout seuls, comme les pigeons, les moineaux, les corbeaux ou les rats.

D'autres habitent chez les gens. Ce sont les animaux de compagnie comme les chats ou les chiens, ou même les cochons d'Inde.

Les cafards, les mouches ou les souris habitent parfois aussi dans les maisons, mais on ne les aime pas trop. Ils ne font pas de mal, c'est seulement qu'ils sont sales et viennent sans être invités !

À la campagne

En sortant de la ville, sans aller trop loin, à la campagne ou dans les bois, on peut découvrir tout un tas d'animaux. Voici quelques exemples :

Et puis, il y a tous les animaux de la ferme comme les vaches, les ânes, les chevaux...

... ou encore les moutons, les chèvres, les cochons...

... sans oublier les coqs et les poules, les canards ou les oies.

Les géants

Certains animaux sont plus lourds et plus grands qu'une vraie voiture. Ici, tu peux voir l'hippopotame, l'éléphant de mer, le rhinocéros, l'éléphant d'Afrique, l'ours brun, la girafe et le plus grand de tous : la baleine bleue. Elle vit dans la mer et elle peut mesurer 7 fois la taille d'une voiture !

Les chasseurs

Beaucoup d'animaux doivent chasser pour se nourrir.
Ils attrapent d'autres animaux pour les manger.
Ils vont souvent très, très vite,
comme ce guépard
qui poursuit une gazelle.

Les lions chassent en groupe.

Les loups aussi.

Le requin, lui, est un grand
chasseur des mers.

L'aigle voit de très loin comme s'il avait des jumelles.

Le caméléon a une très longue
langue toute collante.
Berk !

Il y a aussi la mante
religieuse, le crocodile,
le serpent et plein d'autres animaux
qui chassent !

Dans les airs

Ça doit être vraiment chouette de pouvoir voler !

Les oiseaux ont deux ailes pour voler et leur corps est recouvert de plumes. Ils ont un bec à la place de la bouche et il y en a même qui chantent drôlement bien.

le canari

Beaucoup d'insectes volent aussi très bien. Leurs ailes sont parfois rangées sous leurs carapaces.

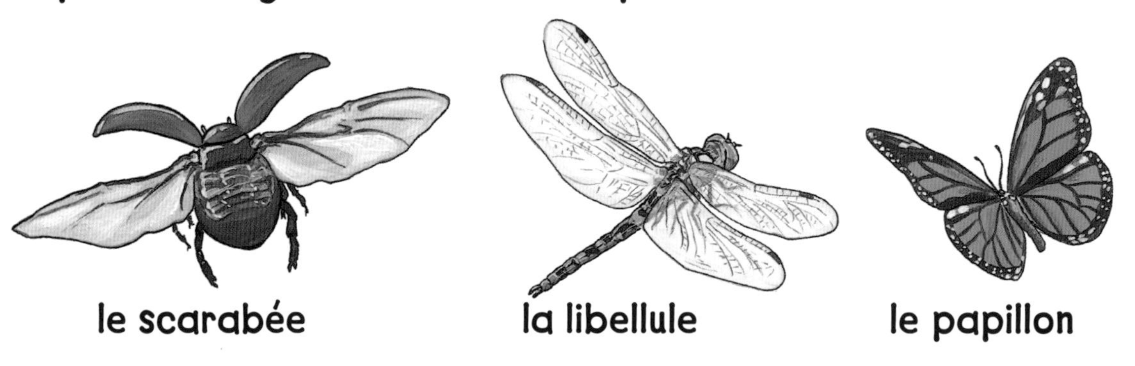

Voici une chauve-souris. Elle peut voler dans le noir et elle dort la tête en bas. C'est rigolo !

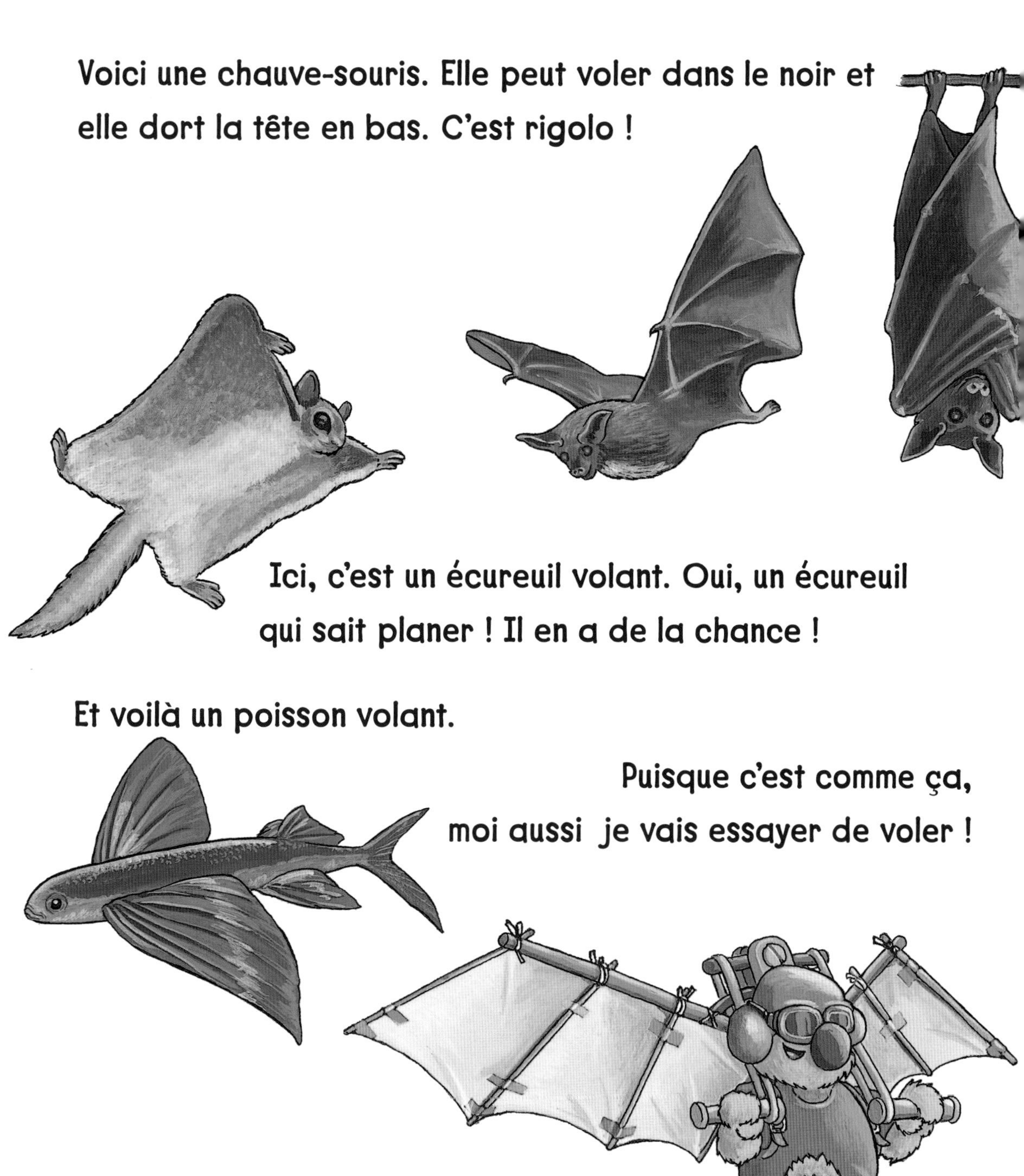

Ici, c'est un écureuil volant. Oui, un écureuil qui sait planer ! Il en a de la chance !

Et voilà un poisson volant.

Puisque c'est comme ça, moi aussi je vais essayer de voler !

Les sauteurs

Moi, j'adore faire des bonds sur
mon trampoline. Mais il y a des animaux
qui sautent vraiment mieux que moi...

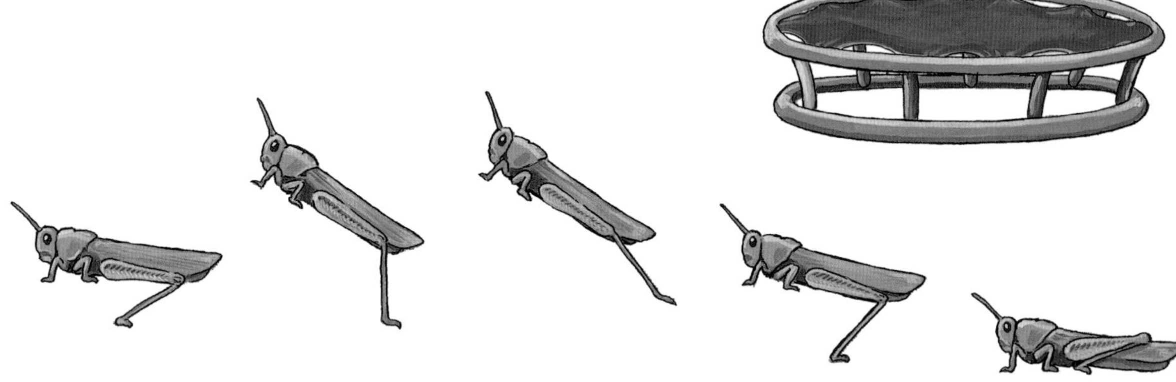

Le criquet a des cuisses très longues
et se déplace en faisant des bonds de géant.

La grenouille est, elle aussi, une bonne sauteuse.
Quand on l'embête, elle s'en va en sautant. Boing, boing !

Voici un lémurien. Il se déplace en faisant des bonds et en bougeant ses bras de haut en bas comme s'il dansait !

Le kangourou est un très grand sauteur. Il a des bras très courts, de très grandes cuisses et une grosse queue.

La puce est très petite. Elle est si riquiqui que tu peux à peine la voir. Mais elle saute très haut. Elle aime sauter sur d'autres animaux comme les chiens... et ça les gratouille beaucoup !

Les nageurs

Moi, pour nager, j'ai encore besoin de mes flotteurs.
Et pour voir dans l'eau, je dois mettre un masque.
Mais il y a plein d'animaux qui vivent dans l'eau et
qui n'ont pas besoin de tout ça !
Il y a tout d'abord les poissons...

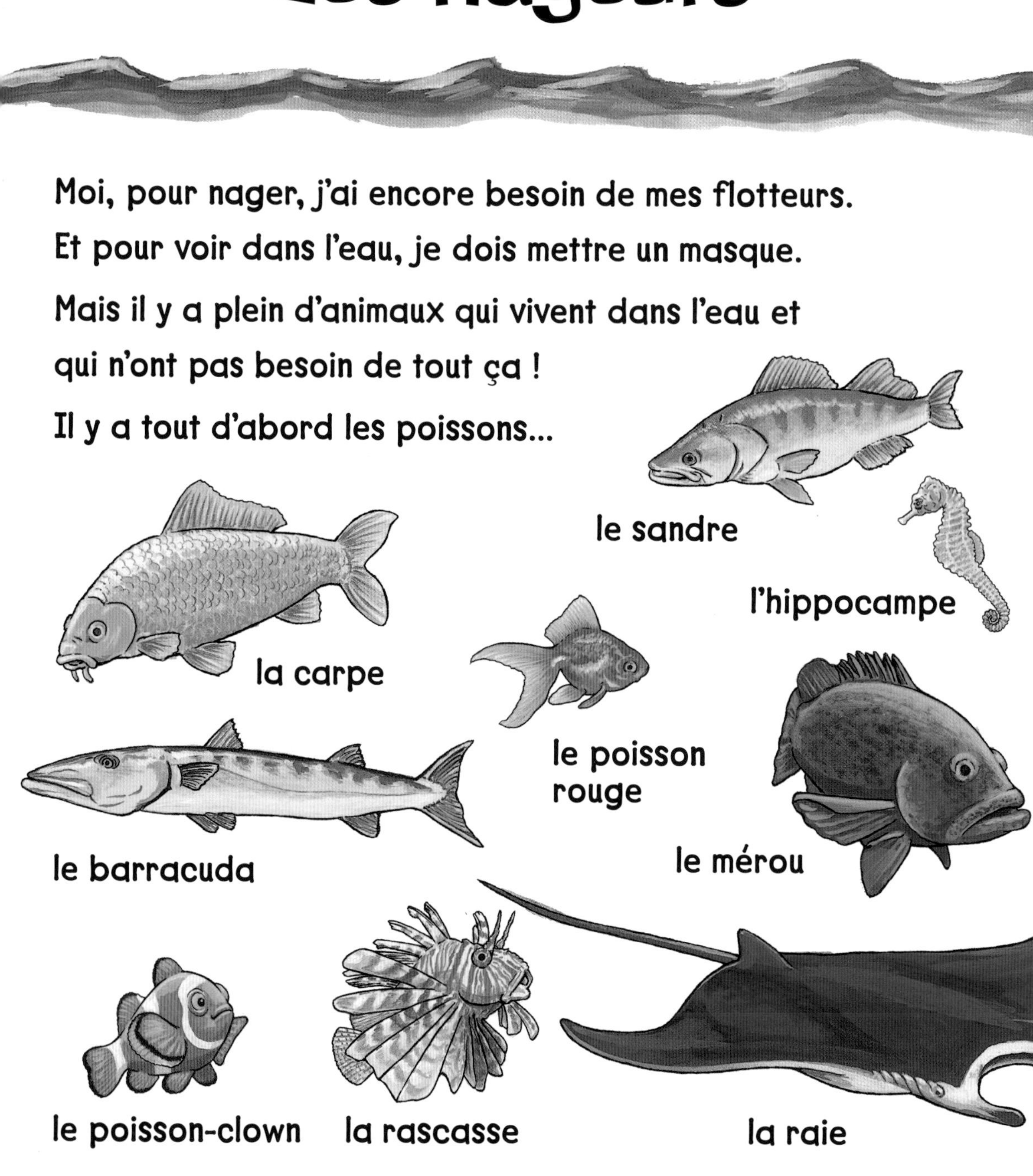

... le dauphin...

... la tortue de mer

et plein d'autres !

Le dytique et l'iguane vivent sur terre,

mais ce sont aussi de très bons nageurs !

Les carapaces

Moi, j'aime bien faire du patin à roulettes.
Mon papa et ma maman m'ont acheté
un casque, des genouillères et
des coudières pour me protéger
si je tombe.

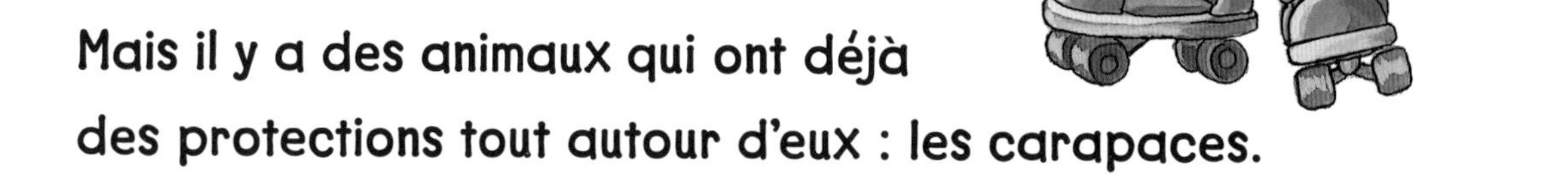

Mais il y a des animaux qui ont déjà
des protections tout autour d'eux : les carapaces.

Certains insectes ont des carapaces. Parfois, elles sont très
brillantes et il y en a même avec de très jolies couleurs !

Les crabes ou les homards ont aussi de solides carapaces. Elles les protègent contre les chocs et contre ceux qui les dérangent.

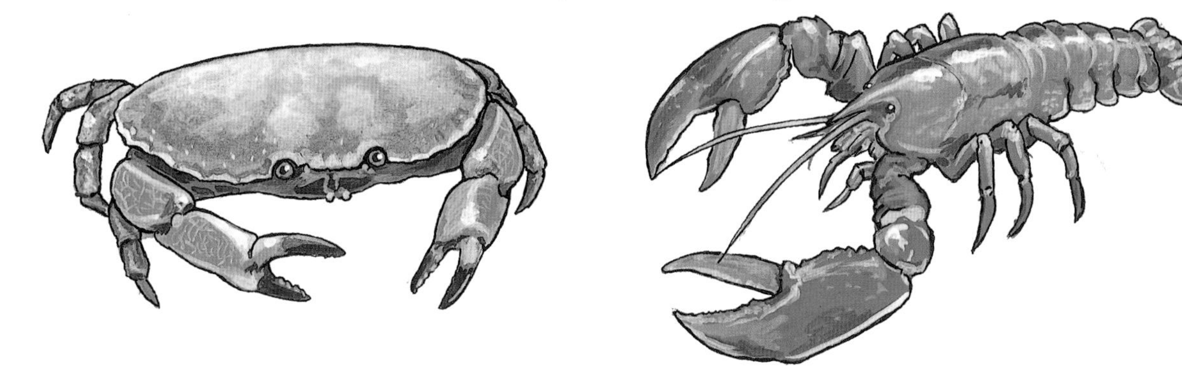

La tortue a une carapace qui ressemble à une maison. Dès qu'on l'ennuie, elle rentre sa tête à l'intérieur pour se cacher.

Et voici le tatou. Il se roule en boule dans sa carapace dès qu'on lui veut du mal. Il est marrant !

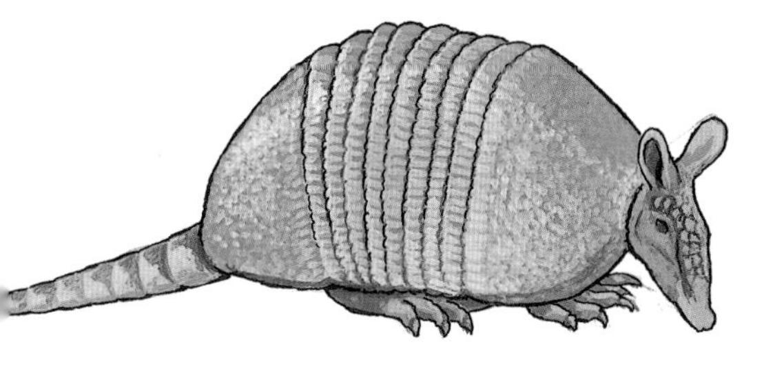

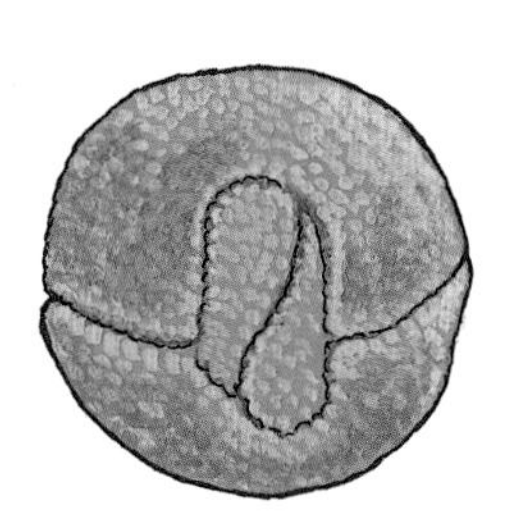

Tout mous

Toi et moi, on peut se tenir debout parce qu'on a des os et des muscles dans le corps.

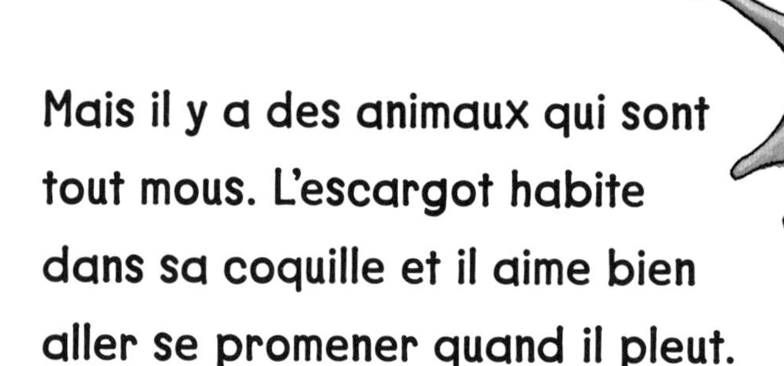

Mais il y a des animaux qui sont tout mous. L'escargot habite dans sa coquille et il aime bien aller se promener quand il pleut.

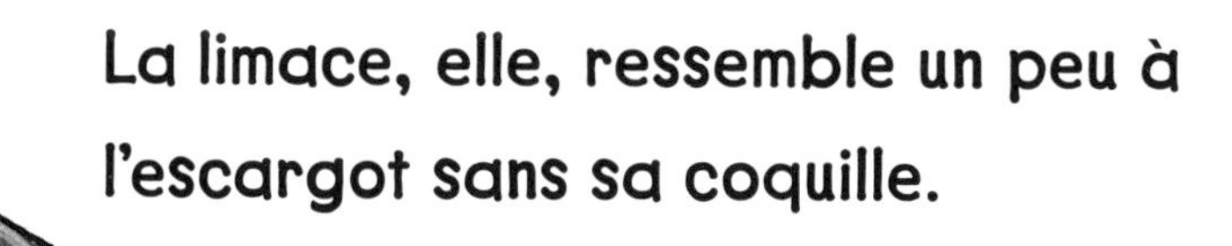

La limace, elle, ressemble un peu à l'escargot sans sa coquille.

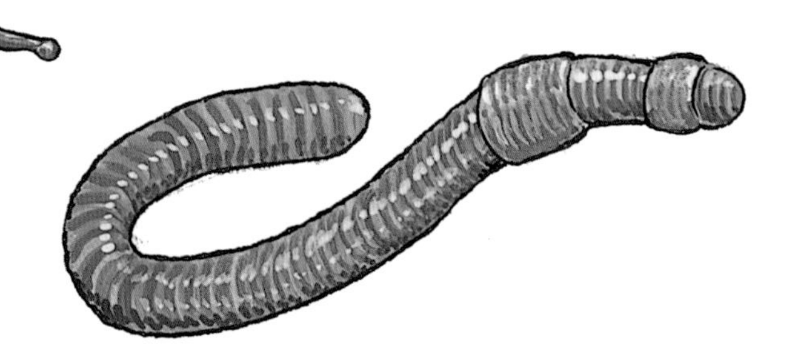

Il y a aussi le ver de terre. Il est tout mou et tout long.

Dans la mer, il y a plein d'autres animaux tout mous comme la méduse, le calmar ou le doris mauve.

Le poulpe, lui, a huit tentacules. Et, quand on l'embête, il crache de l'encre noire pour se cacher et s'enfuir.

Les moules ou les huîtres se protègent en se cachant dans leurs coquillages.

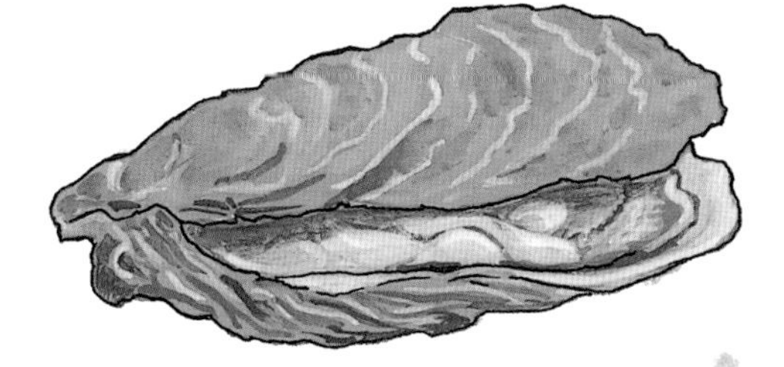

Les cornes

Certains animaux
comme le bouquetin
ont des cornes qui
leur servent parfois
à se défendre ou
à faire peur
à leurs ennemis.

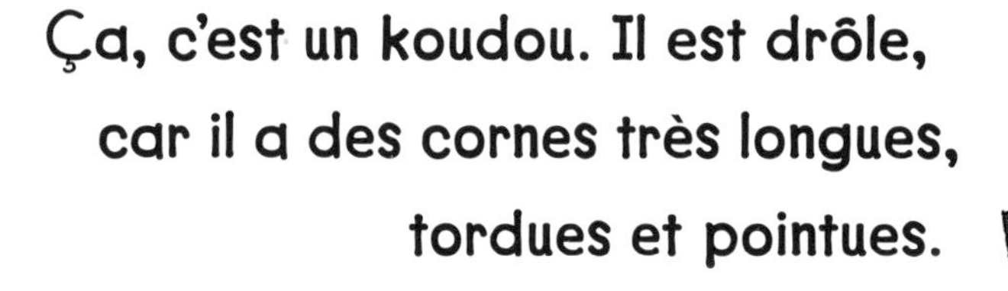

Ça, c'est un koudou. Il est drôle,
car il a des cornes très longues,
tordues et pointues.

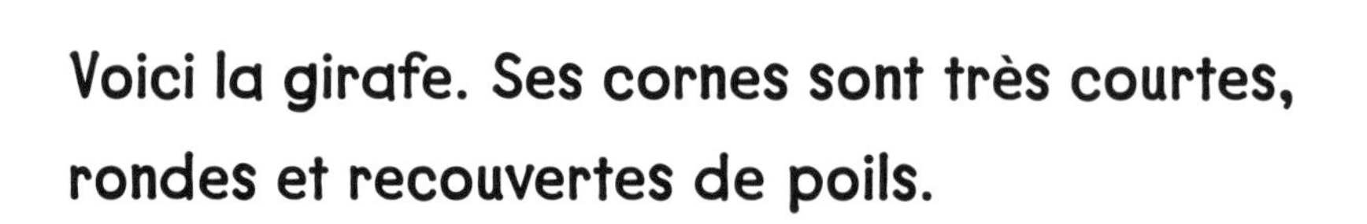

Voici la girafe. Ses cornes sont très courtes,
rondes et recouvertes de poils.

Ce scarabée rhinocéros a une corne qui se sépare en deux.

Voici un caméléon à trois cornes. Il les utilise pour se battre contre d'autres caméléons.

Le taureau et le rhinocéros font un peu peur avec leurs deux grosses cornes... Au secours !

Le froid

Nous, en hiver, on doit s'habiller chaudement pour ne pas s'enrhumer. Mais il y a des animaux qui vivent tout le temps dans le froid. C'est là qu'ils se sentent le mieux.

Regarde cet ours polaire : il a l'air vraiment heureux dans la neige. Il a une belle fourrure qui le protège du froid.

Les phoques, eux, aiment bien faire de longues siestes !

Voici un groupe de manchots. Ils sont toujours ensemble et sont vraiment rigolos quand ils se dandinent pour marcher !

Le morse, lui, a une peau très épaisse. Moi, j'aime bien ses deux longues défenses !

Le renard polaire a un « manteau d'été », qui est brun, et un « manteau d'hiver », qui est blanc.

Bravo !

Il y a des animaux qui sont très malins et très doués pour fabriquer différentes choses. Comme les oiseaux qui fabriquent leur nid.

Le chimpanzé a des mains et des doigts comme toi. Il se sert aussi d'outils. Regarde : il utilise une tige en bois comme fourchette pour attraper et manger des termites ou des fourmis.

La loutre, elle, utilise des gros galets
comme enclume pour casser
les coquillages et les manger.

L'araignée fabrique
des toiles pour
attraper des insectes.
C'est comme un filet
de pêche.

Le termite construit des tours
très hautes et, dedans, c'est comme
une grande ville.

Merci !

Certains animaux travaillent pour nous aider. Ils sont très braves, tu sais. Les chiens guides aident les personnes malvoyantes à marcher dans la rue.

D'autres chiens nous aident à sauver des gens perdus sous la neige dans les montagnes.

Le pigeon voyageur transporte des petits messages en volant d'un endroit à un autre.

Le dromadaire nous porte sur son dos avec nos bagages dans le désert.

Il y a aussi les animaux de trait : ils tirent des traîneaux, des charrues ou des troncs d'arbre derrière eux.

Regarde ce phoque : c'est une caméra qu'il a sur la tête ! Il va aller filmer dans les eaux froides et profondes.

En danger

Il n'y a pas si longtemps encore, il y avait des animaux très beaux comme le tigre de Tasmanie, ou bien très rigolos comme le dodo. Mais l'homme les a tous chassés et aujourd'hui il n'y en a plus. Ils ne reviendront plus jamais.

Tu sais, il y en a bien d'autres qui vont peut-être disparaître un jour si nous n'en prenons pas bien soin. Car il n'y en a plus beaucoup. Voici quelques exemples :

Si tu aimes les animaux, il faut faire attention à ne pas abîmer ou salir les endroits où ils habitent. D'accord ?
Sinon, un jour, ils ne seront plus là.

Voilà, c'est fini.

Voici une photo de moi avec mes amis les koalas.

Je suis allé jusqu'en Australie pour leur rendre visite !

À bientôt pour de nouvelles découvertes !

Impimé en Belgique

Quiz Kalou

1. Quels animaux trouve-t-on dans les villes ?
2. Pourquoi est-ce qu'on n'aime pas trop les cafards, les mouches ou les souris ?
3. Est-ce que tu peux voir des papillons à la campagne ?
4. Où peut-on voir des vaches ?
5. Quel est l'animal le plus haut ?
6. La baleine est le plus grand de tous les animaux. Sais-tu combien de voitures elle peut mesurer en taille ?
7. Quels animaux chassent en groupe ?

Quiz Kalou

8. Qu'est-ce qu'il a, le caméléon, pour chasser ?
9. Qu'est-ce qu'ils ont, les oiseaux, pour voler ?
10. Comment dort la chauve-souris ?
11. Peux-tu me dire trois noms d'animaux qui sautent ?
12. Quel est l'animal qui aime bien sauter sur les chiens ?
13. Est-ce que les poissons ont besoin de flotteurs et de masque pour nager ?
14. Comment s'appellent les protections des animaux tout durs ?